·Para·

ORLANDO REGIONAL

*Healthy Woman*

www.orlandoregional.org

Compilado por Suzanne Siegel Zenkel

Ilustrado por Jenny Faw

Título original: YOU'RE THE BEST
Traducción: Nelly Islas Pineda

202 Mamaroneck Avenue
White Plains, NY 10601

ISBN 0-88088-236-0
Printed in China
7 6 5 4

**¡TÚ ERES**
**LO MEJOR!**

Sé tú mismo. ¿Quién más
está mejor calificado?

FRANK J. GIBLIN II

Haz lo que sepas hacer mejor; si eres corredor, corre; si eres campana, repiquetea.

IGNAS BERNSTEIN

Si lo haces lo mejor que
puedas, encontrarás,
nueve de cada diez
veces, que lo has hecho
tan bien o mejor que
cualquier otro.

WILLIAM FEATHER

¡Eso es, nena! Si lo tienes, ¡osténtalo! ¡osténtalo!

MEL BROOKS
*Los productores*

Si quieres un lugar en el sol, tienes que aguantar unas cuantas ampollas.

ABIGAIL VAN BUREN

El éxito para mí es tener diez melones gota de miel y comer únicamente la parte superior de cada uno.

BARBRA STREISAND

Un hombre tiene éxito si
se levanta en la mañana
y se acuesta en la noche,
y entre una cosa y otra,
hace lo que quiere hacer.

BOB DYLAN

El único riesgo real, es
el riesgo de no pensar
en grande.

FRANCES MOORE LAPPE

Me gusta pensar en grande, siempre me ha gustado. Me parece muy sencillo: si de todas maneras tienes que pensar, hazlo en grande.

DONALD TRUMP

El éxito no es tanto el logro, sino el llevarlo a cabo. No te unas a los grupos precavidos que juegan para no perder; juega para ganar.

DAVID J. MAHONEY

Detrás de cada hombre
que logra el éxito, está
una madre, una esposa y
la oficina fiscal.

ETHEL JACOBSON

El éxito no me echó a perder; siempre he sido insoportable.

FRAN LEBOWITZ

Cuando tengas dudas,
vístete de rojo.

BILL BLASS

Es mejor ser examinada
con la mirada a no
ser vista.

MAE WEST

La perseverancia es un gran elemento de éxito. Si tocas larga y fuertemente a la puerta, es seguro que alguien despertará.

HENRY WADSWORTH
LONGFELLOW

Lo que realmente
importa es lo que
haces con lo que tienes.

SHIRLEY LORD

Es mejor ser león por un día, que borrego toda la vida.

HERMANA KENNY

Fui siempre lo mejor
que tuve.

WOODY ALLEN

Si tan sólo tuviera un poco de humildad, sería perfecto.

TED TURNER

Cuando alguien haga
algo bueno, ¡aplaude!
Harás feliz a dos
personas.

SAMUEL GOLDWYN

Toma veinte años tener éxito de la noche a la mañana.

EDDIE CANTOR

Es una cosa graciosa
de la vida; si te rehusas
a aceptar algo que no
sea lo mejor, muy a
menudo lo consigues.

W. SOMERSET MAUGHAM

Mi madre señaló una diferencia entre logro y éxito. Dijo que el logro es saber que has estudiado, trabajado mucho y hecho lo mejor que has podido. El éxito es ser alabado por otros, eso es

bueno también, pero no tan importante o gratificante. Siempre dirígete al logro y olvídate del éxito.

HELEN HAYES

Si piensas que puedes, tú puedes. Y si piensas que no puedes, tienes razón.

MARY KAY ASH

Somos lo que creemos
que somos.

BENJAMIN N. CARDOZO

Nunca he buscado el
éxito para conseguir
fama y dinero; es el
talento y la pasión lo
que cuenta en el éxito.

INGRID BERGMAN

Para tener éxito, lo primero
que hay que hacer es
enamorarse de su trabajo.

HERMANA MARY LAURETTA

Descubre qué es lo
que más te gusta hacer
y consigue alguien que
te pague por hacerlo.

KATHERINE WHITEHORN

Solamente hay un éxito:
poder vivir la vida a
tu gusto.

CHRISTOPHER MORLEY

Pueden hacer todo porque creen que pueden.

VIRGILIO

El éxito te puede hacer ir por uno de dos caminos. Te puede hacer una prima donna, o puede suavizar las asperezas, quitarte las inseguridades y permitir que las cosas buenas emerjan.

BARBARA WALTERS

Una demostración de
envidia es un insulto
a uno mismo.

YEVGENY YEVTUSHENKO

Todo individuo tiene
un lugar que llenar en el
mundo, y es importante
en algún aspecto ya sea
que así lo elija o no.

NATHANIEL HAWTHORNE

Debo admitir que perso-
nalmente mido el éxito en
términos de las contribu-
ciones que un individuo
hace a sus semejantes.

MARGARET MEAD

No sabemos quiénes
somos, hasta que vemos
lo que podemos hacer.

MARTHA GRIMES

Eres producto de tus propias ideas geniales.

ROSEMARY KONNER STEINBAUM

El talento es una llama.
El genio es el fuego.

BERN WILLIAMS

No sabes lo que puedes
hacer, hasta que
lo intentas.

HENRY JAMES

Siempre se pasa por
el fracaso en el camino
al éxito.

MICKEY ROONEY

Ni el nacimiento ni el sexo limitan al genio.

CHARLOTTE BRONTË

La victoria no se gana
en millas, sino en pulga-
das. Gana un poco ahora,
conserva tu terreno,
y más tarde gana un
poco más.

LOUIS L'AMOUR

El éxito engendra confianza.

BERYL MARKHAM

Nada más sal y haz lo
que tienes que hacer.

MARTINA NAVRATILOVA

El éxito es ese viejo trío:
habilidad, oportunidad
y valentía.

CHARLES LUCKMAN

Todos tienen sus altas
y bajas, así que decidí
tener las mías entre
bueno y sensacional.

DANIEL HOOGTRERP

El genio es uno por
ciento inspiración y
noventa y nueve por
ciento transpiración.

THOMAS A. EDISON

No hay secretos en el
éxito. Es el resultado
de preparación, trabajo
arduo y enseñanza
del fracaso.

GEN. COLIN L. POWELL

No existen los grandes hombres. Nada más hay grandes retos, que hombres comunes como tú y yo se ven forzados por las circunstancias a enfrentar.

WILLIAM F. HALSEY

Quien mueve montañas,
empieza por quitar las
piedras pequeñas.

El éxito no es el resultado de una combustión espontánea. Tú debes prenderte fuego.

REGGIE LEACH

Si realmente deseas algo,
puedes ingeniártelas
para que suceda.

CHER

¿Cómo pueden decir que
mi vida no es un éxito?
¿No he tenido durante
más de sesenta años
suficiente que comer
y he evitado ser comido?

LOGAN PEARSALL SMITH

Nunca antes hubo
alguien como yo, y
nunca volverá a haber
alguien como yo.

HOWARD COSELL

La confianza en uno mismo es el primer requisito para las grandes empresas.

SAMUEL JOHNSON

Lo mejor es bastante bueno.

PROVERBIO ALEMÁN

Algunos son grandes
por nacimiento, algunos
adquieren la grandeza
y a algunos se les
impone la grandeza.

WILLIAM SHAKESPEARE

Mi mayor fuerza es
que no tengo ninguna
debilidad.

JOHN McENROE

Un hombre no puede
estar tranquilo sin su
propia aprobación.

MARK TWAIN

Disfrutar la vida es el
mejor cosmético de
las mujeres.

ROSALIND RUSSELL

Sólo hay un rincón del
universo que puedes
estar seguro de mejorar
y ese es tu propio ser.

ALDOUS HUXLEY

El éxito más grande es
una autoaceptación
exitosa.

BEN SWEET

Finalmente, he dejado
de escapar de mí misma.
¿Quién más podría ser
mejor?

GOLDIE HAWN

No es cierto que los chicos buenos terminan al último. Los chicos buenos son ganadores aun antes de que el juego empiece.

ADDISON WALKER

No soy una "ha sido".
Soy una "será".

LAUREN BACALL

Dirígete a la luna. Aun si no logras llegar, aterrizarás entre las estrellas.

LES BROWN

¡Tú eres lo mejor!